Gemau

I bob un

Nina, Rose a Cleif

Gemau

MARED LEWIS

Diolch i Gwion am y caniatâd i ddefnyddio ei eiriau.

Diolch i Lisa am gael defnyddio rhan o'r
llun 'Crib Goch a'r Wyddfa' ar gyfer y clawr.

Diolch i Meinir am ei chefnogaeth a'i ffydd yn y stori.

Argraffiad cyntaf: 2020

Cynllun y clawr: Y Lolfa
Llun y clawr: Lisa Eurgain Taylor

Rhif Llyfr Rhyngwladol: 978 1 78461 864 3

Dymuna'r cyhoeddwyr gydnabod cymorth ariannol
Cyngor Llyfrau Cymru

Cyhoeddwyd ac argraffwyd yng Nghymru
ar bapur o goedwigoedd cynaliadwy gan
Y Lolfa Cyf., Talybont, Ceredigion SY24 5HE
e-bost ylolfa@ylolfa.com
gwefan www.ylolfa.com
ffôn 01970 832 304
ffacs 01970 832 782

'Dw i yma yn y bylchau.
Yn cuddio rhwng yr odlau.'
'Trwy Ddrych', Gwion Hallam

'Only in the agony of parting
do we look into the depths of love.'
George Eliot

Daw dyfyniadau'r gemau yn y nofelig hon o Stages of Dementia: Teepa Snow's GEMS.

NINA

Annwyl... M

Annwyl Mrs Bowen

Annwyl Rosemari

Annwyl.

SAFFIR

Y cyfnod glas.

Y meddwl yn effro a'r broses resymu yn dda, ond yn dechrau arafu.

Gall sylweddoli hyn beri digalondid.

Ond maen nhw'n dal i wybod beth maen nhw'n ei fwynhau, a beth sy'n bwysig iddyn nhw.

ROSE

Wnes i'm cofio eleni. Ei weld o ar y calendr wnes i. Y galon fach goch dwt ar y dyddiad. Heddiw. Y peth cynta dwi'n neud pan dwi'n cael calendr newydd ydy estyn am y feiro goch a... Wel, dyna ni. Mae o'n rhan ohona i. Ei phen-blwydd hi. Y diwrnod pan o'n i hapusa, a thrista. Rhoi bywyd, yna ei roi o i ffwrdd, o fewn pedair awr ar hugain.

Rhyfadd i mi beidio cofio eleni.

Does 'na neb yma, wrth gwrs. Does 'na byth adeg yma o'r flwyddyn, heblaw am ambell un yn sbecyn pell, a rhyw gi yn goma du aflonydd wrth eu traed. Dydy o'm yn lle i fagu gwaed gefn gaea.

Dwi'n syllu ar y tonnau am chydig, y ffordd maen nhw am y gorau i larpio'r tywod gwlyb. Ac wedyn mae 'nhraed i'n dechrau gwlychu. Well i mi beidio bod yn hir.

Does 'na'm rhaid ei daflu o'n bell. Un pinc ydy o, fel bob tro. Clwstwr pinc o flodyn, fatha sidan, mor ddel fel ei fod o'n edrych fel un cogio. Dwi'n gwasgu 'mawd i mewn i un o'r piga er mwyn ei deimlo fo. Er mwyn… teimlo. A diodda. Mae'r gwaed fel gem coch, yn rhuddem ar fy mawd ymhen dim. Da. Tydy'r corff byth yn siomi.

Ac wedyn mae'r rhosyn yn hedfan fel deryn am eiliad cyn glanio'n ddel ar wyneb y dŵr. Ac yna'n nofio ar wyneb y don.

'Pen-blwydd hapus, del.'

Dwi'n ei ddeud o'n uchel bob tro. Pam, dwn i'm. Ond dyna fydda i'n neud. Ar ben-blwydd fy hogan bach i. Ar ben-blwydd Nina fach.

Dwi'n ôl yn y car ymhen munuda. Ac mae'r peth rhyfedda'n digwydd pan dwi'n troi trwyn y car at y lôn. Taswn i'n marw'r munud 'ma! Am funud, sgin i'm syniad sut… pa ffordd… pa ffordd i droi. Sgin i'm syniad o ble ddes i. Nac i ble dwi'n mynd. Ac mae 'na ryw blydi car tu ôl i mi yn canu ei gorn ar ôl tipyn, felly dwi'n troi un ffordd i'r diawl ac yn gobeithio'r gorau.

Chwerthin wneith Cleif, pan dduda i wrtho fo. Chwerthin. Yntê?

NINA

Annwyl... M

Annwyl Mrs Bowen

Annwyl Rosemari

Annwyl

Mam.

Faint o weithia dwi wedi dechrau'r llythyr yma wythnos yma?

Dechrau gwanwyn. Dechrau newydd. Dyna feddylish i. Ac efo pob dim sy 'di digwydd, pob dim sydd... yn digwydd i mi, mae estyn allan a sgwennu llythyr rhywsut yn... iawn. Mae'r amser yn iawn. Rŵan ydy'r amser. Rŵan ydy'r unig amser.

Ond mae'r geiria'n styfnig. Yn gwrthod dangos eu hunain. Yn gwrthod agor unrhyw ddrws.

Mae'r misoedd yn troi eu lliw o fewn ffrâm y ffenest. A'r llythyr yn dal i ddisgwyl i'r geiriau ddod.

Mam.

ROSE

Llythyr sy'n ei law o, yn crynu fel tasa fo'n fyw. Fel deryn. Sgwennu neis. Dim teip, sgwennu iawn. Efo llaw.

'Gin pwy mae o, Cleif? Cleif? Hwnna, y llythyr 'na? Gin pwy?'

'Gin Nina, Rosie.'

'O, Nina. Nina?'

'Ia, ti'n cofio, ers talwm? Dy Nina fach di?'

'Nina fach... Wrth gwrs bo' fi'n cofio! Pam ti'n...?'

Mae o'n poeni rŵan, ei fod o wedi fy mrifo fi.

'Gin pwy ma'r llythyr? Gynni hi?'

Ac mae o'n edrych arna i fel tasa fo'n meddwl mai gin i ma'r ateb.

DIEMWNT

Mae gan ddiemwnt sawl ochr, a gall ddangos ochr sgleiniog neu ochr siarp.

Mae'n well gan ddiemwnt y pethau arferol, y drefn arferol.

Gall dal gafael mewn gwybodaeth newydd fod yn heriol.

ROSE

Dwi wedi bod yn siarad efo'r dyn ifanc ers amser. Dwi'm yn cofio faint o amser, ond mi wnaeth o banad o goffi te iddo fo a fi a phan dwi'n yfed o'r gwpan tsieina tsieina tsieina, mae'r coffi te wedi mynd yn oer.

Dwi'n tynnu wyneb. 'Pych! Ma'r te yma'n oer!'

Ac mae o'n chwerthin.

'Pych!' Hynny sy'n gwneud iddo fo chwerthin eto, yn uwch y tro yma.

'Rŵan 'ta, Mrs Bowen, dach chi isio prynu'r gwely ortho… ortho rhwbath mae o'n ddeud. Orthodeintydd. Na, dim hynny chwaith. Ortho… pedig, ia. Dyna fo. Gwely orthopedig.'

'Sori?'

'Be?' Dwi'n edrych arno fo'n syn braidd. Mae o'n edrych yn ddifrifol arna i, a dwi'n trio meddwl be dwi wedi'i ddeud i wneud iddo fo stopio chwerthin.

'Ylwch, Mrs Bowen, dwi 'di cymryd dipyn o amser efo chi rŵan i ddangos i chi sut beth ydy'r gwely newydd 'ma. A fedra i ddim dal y pris yma ar ôl heddiw.'

'Ar ôl heddiw,' medda fi, a gwenu, i ddangos 'mod i'n ei ddallt o.

'Ia, 'dan ni byth yn gwybod faint o fory sydd 'na i ni, nac 'dan?'

Dwi'm yn ei ddallt o rŵan, ond dwi'n dal i wenu a nodio fy mhen, achos mae ei wyneb o'n ddelach pan mae o felly, ac mae'n well edrych ar wyneb del na hen wyneb fel mwnci hyll yn poeri.

'Faint newch chi rŵan, Mrs Bowen? Eich oed chi?'

'Ew...' Dyna ni, y blydi cwestiynau eto. Y blydi cwestiynau sy'n pigo fel ieir a'u pigau coch cas, yn pigo isio gwybod.

'Hen iawn, iawn. Ifanc... A-ha! Dwi'm yn deud! Dach chi'm i fod i ofyn. Tydy *gentlemen* ddim yn gofyn.'

Dwi'n rhoi winc iddo fo, ac yn chwerthin, ac ella fydd o'n rhoi winc yn ôl i mi.

'Felly, dach chi isio'r fatres ffantastig yma, Mrs Bowen? Cyfle ola! Rhaid i chi ddeud rŵan, ne —'

'Dwi'n dallt, dwi'n dallt.' Dwi isio iddo fo ddallt 'mod i'n dallt. Ond mae 'nghalon i'n curo curo curo, a dwi'n boeth.

'Dach chi isio prynu'r fatres 'ma 'ta be, Mrs Bowen?'

'Dwi'm yn... Dwi'm isio deud. Dim rŵan. Dwi'n...'

Ond mae'n o'n rhegi dan ei wynt wrth glywed hynny, a dechrau hel y papurau sydd drws nesa iddo fo ar y soff... y soffa.

'Ffycinel,' medda finna, ac wedyn rhoi fy llaw ar fy ngheg iddo fo ddallt 'mod i'n gwybod 'mod i'm i fod.

Dwi'n dechrau teimlo'n flin efo fo, a dwi isio diod. Dwi isio iddo fo fynd.

'Dwi isio chi fynd!' medda fi, a dwi'n sefyll fel bod o'n dallt.

'Un cyfle arall. Mi ro i gyfle arall i chi, Mrs Bowen, i sgwennu siec am bum cant o bunnau am y gwely 'ma. Dwi'm i fod i neud, deud y gwir. Ma hi 'di pasio chwech, do? Ma'r diwrnod gwaith wedi gorffen, ond am bo' fi'n licio chi —'

'A dwi'n licio chi!'

Dwi'n dychryn braidd 'mod i wedi deud hyn. Beth tasa fo'n meddwl 'mod i'n trio fflyrtio, yn wincio, yn gwenu? Dwi'm isio peth felly. Dwi'm yn meddwl fasa'r dyn arall yna yn licio. Cleif. Mae o'n perthyn.

Dwi'n licio fo.

'Cleif!' Dwi wedi galw ei enw fo. Dwi'n gobeithio neith o ymddangos fel ysbryd a gwneud i'r dyn yma fynd o 'ma. Dwi'n galw'n uwch. Dwi'n sgrechian rŵan.

'Cleif! Cleif! Cleif!'

Lle mae o? Lle mae Cleif?

*

Wedyn mae hi'n dywyll y tu allan ac mae yna lamp fawr yn dal ymlaen yn y lownj. Mae Cleif yma, ac mae gen i banad o de rŵan, un boeth neis. Dim ond Cleif a fi.

'Dim ond chdi a fi.'

'Ia, cariad,' medda Cleif, a'i lais o'n fêl neis. 'Fel Tony ac Aloma yn union.'

'Isio dwyn oedd o, Cleif? Isio dwyn?'

Mae'r gair yn gwneud i mi ddechrau crynu dipyn bach tu mewn eto.

'Naci, Rosie, dim isio dwyn oedd o, ond isio gwerthu rhywbeth i chdi.'

'Ond do'n i'm isio, do'n i'm isio, nago'n?'

'Nag oeddat, cyw. A mi ddylwn i 'di bod yma efo chdi. Ond mae o wedi mynd rŵan, yli.'

'Dan ni'n eistedd mewn distawrwydd am ychydig, a dwi'n meddwl am wên glên y dyn.

'Debyg i Ian, 'y mrawd, ydy o. Y dyn yna. Gwenu fatha Ian.'

'Oedd, ella. Ond mae o 'di mynd rŵan.'

'Ian?'

'Naci'r dyn arall. Ma hwnnw 'di mynd.'

'Gormod o ryw eiria hir, sti. A syms. Lot o nymbyrs. Mwydro fi o'dd o. Trio mwydro fi!'

'Fel'na maen nhw, sti.'

'Ia... Fel'na maen nhw, sti.'

Mae hi'n braf rŵan efo fo a fi. A neb arall. Fo. A fi. A'r coffi te yn y ddau fŵg.

NINA

Nid fel hyn ro'n i wedi dychmygu pethau. Roedden nhw wedi dweud ella byddai pethau'n anodd. Anaml iawn oedd pethau fel storis mewn llyfr. Wrth swatio dan y dwfe yn nhŷ 'Mam a Dad' pan o'n i'n Nina fach, ro'n i'n dychmygu coflaid gynnes, a bwrdd yn llawn o frodyr a chwiorydd newydd, pob un yn debyg i mi mewn rhyw ffordd. Pob un yn gwenu. Yn falch 'mod i wedi eu darganfod. Yn falch o 'nghroesawu'n ôl. A sut un fyddai hi? Y Fam Iawn?

Ond roedden nhw wedi deud wrtha i nad oedd hi mor hawdd â hynny bob tro. Maen nhw'n cau drws yn eich wyneb chi weithiau, y mamau di-wyneb-pob-wyneb hyn sydd wedi cerdded i ffwrdd rhyw dro. Agor drws arall a'i gau ar eu holau. Mae clepian drws yn rhan o symffoni bywyd rhywun fel fi. Yn atsain barhaol sy'n ddistawach weithiau ac yn fyddarol dro arall.

Ro'n i wedi trio paratoi fy hun. Wedi dychmygu pethau. Ond wnes i ddim byd am y peth tra oedd Mam a Dad yn fyw. Mae hyn yn beth arferol, yn ôl pob tebyg, yn ôl tystiolaeth y mabwysiedig rai. Y gair 'bradychu' oedd yn cael ei ddefnyddio. Mae'n siŵr ma' hynny oedd o.

Ro'n i wedi trio paratoi fy hun. Wedi dychmygu petha. Ond wnes i ddim disgwyl hyn.

Tipyn o ymchwil, i ddechrau.

Mother's name: Wnes i oedi'n hir uwchben ei henw hi.

Father's name: Unknown.

Tipyn o lythyru wedyn efo'r Awdurdodau. Cysylltu. Aros. Ac aros ychydig eto. Tan ddaeth galwad ffôn a gwahoddiad i gyfarfod yn rhywle niwtral, rhywle oedd yn golygu dim i neb, ac eto yn golygu pob dim hefyd. Un o'r tafarndai cadwyn diddrwg didda, a'r traddodiad wedi cael ei ail-greu efo lliw'r paent a deunydd William Morris cogio ar y seti. A'r hen luniau mewn fframiau rhad. Traddodiad saff, hawdd ei lyncu.

Fi gyrhaeddodd gynta. Doedd dim sefyll ar stepen yn cnocio ar ddrws diarth yn mynd i fod yn rhan o'r naratif felly. Ro'n i mor falch o hynny. Wrth hawlio fy sêt wrth y ffenest yn wynebu'r drws, ro'n i'n mynd i fod mewn rheolaeth. Fi oedd yn mynd i fod y gynta i'w gweld hi.

Roedd hi ar amser, ychydig yn gynnar, deud y gwir. A doedd hi ddim ar ei phen ei hun. Roedd dyn yr un oed efo hi, dyn wedi ei wisgo yn lifrai'r ymddeoledig ifanc, mewn jîns nefi blw wedi eu smwddio, a'i lygaid gleision yn llawn pryder.

Roedd o wedi bachu ei fraich yn ei braich hithau mewn modd cariadus oedd hefyd mewn ffordd ymarferol. Pwy oedd yn pwyso ar bwy? Daeth y ddau ata i, ond edrych arno fo oeddwn i, yn ei lesni a'i ofal a'i bryder.

'Nina?' gofynnodd y dyn, cyn iddi eistedd.

'Ia, Nina,' meddwn innau, ac edrych arno fo. Nodiodd, heb wenu rhyw lawer. 'Nina, iawn.'

Aeth i'r bar yn fuan wedyn. Diod meddal yr un iddyn nhw. Cymerais lwnc dwfn o 'ngwydraid mawr o win a meddwl y basa petha dipyn haws tasan nhw'm yn TT. Dim ond wedyn edrychais i'n iawn arni hi. Ac eto do'n i ddim yn medru edrych yn iawn chwaith. Embaras oedd o? Ar ôl yr holl ddychmygu, do'n i ddim yn medru edrych arni. Does dim modd syllu ar ddieithryn fel petai'n llun mewn oriel. Gwallt cochlyd, mymryn o frychni yn cuddio ym mhlygiadau'r rhychau ysgafn. Clustdlysau ethnig yn clindarddach wrth iddi symud. Ond troi ei phen draw i gyfeiriad y bar wnaeth hi, a'i hystum i gyd yn troi oddi wrtha i, ei dwylo yn plethu ac yn dadblethu. Roedd y dyn hefyd ar binnau, yn cyfathrebu'n frysiog efo'r hogan y tu ôl i'r bar, ac yn edrych draw, yn codi ei law arni hi yn gysurlon bob hyn a hyn.

'Wel, ma hyn i gyd yn rhyfedd, tydy?'

Dwn i'm pam ddudes i hynny. Trodd i edrych arna i, fel petai hi'n fy ngweld i am y tro cynta.

'Yndy, mae o, tydy? Mae o, wir. Wir.'

Gwên ddannedd dan haen ysgafn o nicotîn neu de, llygaid gwyrddion yn chwilio am eiliad, cyn troi oddi wrtha i eto.

Dim ond ar ôl iddo fo ddod yn ôl y setlodd hi yn ei sêt, plygu'n ôl a datod drwyddi.

'Mi gawson ni sioc braidd, yn do, Rosie?'

Rosemari oedd ei henw hi o'r cofnodion, a dwi'n cofio meddwl ei fod yn enw mor dlws, yn enw papur wal blodeuog ac oglau caserol cysurlon yn coginio lawr grisiau mewn cegin fawr. Rosemari. Ond Rosie iddo fo. Rosie oedd pia fo. Enw hogan ifanc yn mynd ar gefn beic yn yr haul, ei choesau'n ymestyn allan yn ddiofal, wedi taflu ei phen yn ôl a'i gwallt yn rhubanau.

‘Sioc. Efo’ch llythyr. Mi ddaeth o nunlla…’

Teimlais ryw wacter. O nunlle. Ro’n i allan yn fan’na yng ngalacsi eu gorffennol, yn perthyn i’r llonyddwch mawr oedd yn rhan ohonyn nhw ac eto yn rhywbeth na fasan nhw’n medru ei amgyffred. Oedden nhw’n dymuno i minna ‘lithro i’r llonyddwch mawr yn ôl’?

Sioc. Dim syrpréis. Sioc.

‘Do, ma’n siŵr,’ meddwn innau, a methu’n glir â pheidio ychwanegu ‘Sori’ yn gynffon ar y diwedd.

‘Wedi cyrraedd yr oed yma, wnaeth Rosie ddim —’

‘Fi ydy Rosie!’ meddai hithau, a chymryd llwnc mawr boddhaus o’r ddiod binc o’i blaen. ‘Pwy dach chi felly? Dwi’n nabod eich mam?’

Mae’n rhyfedd pa mor ddistaw all tri pherson fod, mewn tafarn gadwyn ar gyrion tre. Pob un yn dal ei wynt. Eiliadau oedd o, mae’n siŵr. Eiliad ella. Ond nid eiliad braf yng nghwmni ffrindiau. Eiliad o deimlo’r ddaear yn symud oddi tanoch chi. Eiliad o deimlo’r blaned yn stwyrian.

‘Chi. Chi ydy Mam.’

Mae hi'n syllu arna i. Ac wedyn yn troi i wenu arna i. Gwên braf heb gymhlethdod.

'Ia, 'te? Ia, siŵr iawn. A sut ma hi?'

Daliodd y dyn fy llygad am eiliad, mewn embaras. Yna plygodd ymlaen a siarad yn isel â Rosemari, ond yn ddigon uchel i mi ddallt.

'Wnaethon ni sôn, Rosie, ti'n cofio? Am y llythyr. Am y babi bach…'

'Ond does 'na'm babi yma! Fedra i'm edrach ar ôl babi rŵan! Sgin i'm amser! Sgin i'm…' Roedd ei llais yn dechrau codi, ei chorff yn gynnwrf anniddig. 'Does 'na'm babi! Babi! Lle ma'r babi?'

Yna plygodd ymlaen a gafael yn fy nwy fraich. Gallwn deimlo ei hesgyrn siarp yn gwasgu, y gïau yn gwingo.

'Be dach chi 'di neud efo fo? Be dach chi 'di neud efo'r babi? Chi pia fo? Ia? Ia?'

Edrychodd y dyn o'i gwmpas yn ffwndrus, ac roedd un neu ddau o gwsmeriaid wrth fyrddau eraill yn y bar yn dechrau edrych i'n cyfeiriad.

'Rosie, yli, paid rŵan, plis. Sssh… does 'na'm…'

Fi achubodd y sefyllfa. Fi gamodd i mewn a

thawelu'r dyfroedd. Ond efo fo siaradais i.

'Ylwch, dach chi'n meddwl 'sa well i ni stopio? Dwi'm yn licio meddwl...'

'Ia, tydy hi'm 'di bod yn dda iawn yn ddiweddar. Wrthi'n trio dŵad dros ryw hen ffliw. Tydy hi'm yn hi ei hun.'

'Ddim yn fi fy hun,' meddai Rose, a gwenu'n ddel arna i. 'Ffliw. Sgynnoch chi ffliw?'

'Nag oes, dim rŵan. Hen beth cas ydy ffliw.'

'Hen beth cas ydy ffliw!' meddai hithau.

'Mynd 'sa ora,' meddai'r dyn. 'Cleif. Cleif dwi,' meddai wedyn yn ymddiheurol, ac estyn ei law gynnes tuag ata i. Sylwais ar y blewiach melyn meddal ar gefn ei law, a gwrid haul yr haf yn dal i loetran ar ei groen.

Safodd a rhoi ei fraich i Rose hithau gydio ynddi. Safodd hithau'n reit sionc. Edrychodd arna i, a datgan,

'Del dach chi. Dach chi'n ddel iawn. Gwallt coch. Colli sofran yn ei gwallt hi. Nain... Nain efo gwallt coch fel 'sach chi'n medru colli sofran ynddo fo. Dyna fydda hi'n ddeud. Coch tywyll del.'

Daeth y dagrau i'm llygaid yn syth, *on cue*, fel actorion oedd wedi bod yn disgwyl eu tro ar ymyl llwyfan. Sylwodd Cleif.

'Bechod 'sach chi 'di... yn gynt.'

'Ma gynnon ni rŵan?' atebais innau. 'Ma gynnon ni rŵan, os dach chi'n fodlon.'

Pan sgynnoch chi ddim byd ond yr eiliad yma, hon ydy'r eiliad sy'n werthfawr fel diemwnt.

'Mi sgwenna i. Mi ffonia i, Nina,' meddai Cleif, a nodio. Doedd gen i ddim amheuaeth y gwnâi. Roedd o'n ddyn da. Yn graig, onid dyna ydy'r ymadrodd?

*

Ar ôl cyrraedd adra, eisteddais ar y soffa, a gwylio'r dydd yn ildio i gysgodion diwedd pnawn hydrefol, pob ffenest yn dechrau goleuo yn eu tro wrth i bobol ddŵad adra o'r ysgol neu'r gwaith. Ro'n i'n arfer syllu mewn rhyfeddod ar sgetsys domestig pobol eraill pan o'n i'n ifanc, yn dotio ar y manion dibwys bob-dydd. Yn dotio ar gyffredinedd gwerthfawr drama rhywun arall.

Ond syllu ar y düwch yn araf lusgo i mewn i'r lolfa wnes i pnawn 'ma. Syllu, a theimlo'n wag.

Ro'n i wedi meddwl cysylltu ddwy flynedd yn ôl. Wedi colli Mam a Dad. Sam oedd wedi fy narbwyllo i beidio. Yn poeni y baswn i'n cael siom, ac y baswn i'n newid fel person taswn i'n gwybod gwir amgylchiadau'r mabwysiadu.

'Tydy rhywun byth yn ildio'u plentyn o sefyllfa o hapusrwydd, Nina,' meddai.

Ac onid hynny oedd calon y gwir? Onid sefyllfa anodd, drist neu drasig oedd hanfod pob stori fabwysiadu? Oni fasa hi'n well i chi fyw eich bywyd a pheidio gwahodd manylion budur y sefyllfa go iawn i mewn i'ch pen? Ac felly ro'n i wedi oedi. A'r oedi hwnnw yn dyngedfennol erbyn gweld. Y gwahaniaeth rhwng ei nabod a pheidio ei nabod.

Codais ymhen hir a hwyr a chynnau'r lamp dal oedd wrth ymyl y gadair freichiau IKEA newydd yr oeddwn wedi mynnu ei chadw pan wnaeth Sam a finna wahanu. Roedd yn taflu rhyw wawr atmosfferig ar yr holl stafell, ac yn cuddio'r bwndeli o bapurau newydd a llyfrau oedd yn dyrrau hwnt ac yma, yn cuddio platiau swper neithiwr, a'r gymysgedd o ddillad yr oeddwn wedi eu gwisgo ac yna'u tynnu'n ôl fy mympwy ers diwrnodau.

Dyma godi a mynd at y lle tân di-dân. Un o syniadau eraill Sam oedd hwn. Doedd o ddim yn credu bod lle tân yn llesol i'r amgylchedd; roedd o'n llosgi carbon oedd yn niweidiol iawn yn y pen draw i bawb. Fe fyddai siopa am le tân iawn yn lle'r bonion coed a'r fflamau smal yn bleser maes o law.

Uwchben y lle tân di-dân, roedd drych mawr yr oedden ni wedi ei gario'r holl ffordd o Ffrainc o un o siopau antîcs arbennig Dijon. Roedd yn ffitio'n berffaith, ac yn gweddu i'r ystafell. Bu Sam a finna'n ffraeo'n hir drosto, fel tasan ni'n ffraeo dros bwy oedd yn cael cadw'r ci, efo pwy oedd y plentyn yn cael aros. Fi enillodd y frwydr arbennig honno, ac ro'n i'n ceisio gwneud yn siŵr 'mod i'n defnyddio'r drych hwnnw yn anad dim byd arall er mwyn cyfiawnhau ac atgoffa fy hun o 'muddugoliaeth.

Syllais ar fy wyneb rŵan yn y drych buddugoliaethus. A chanfod dynes ar drothwy ei deugain oed yn syllu'n ôl arna i. Daliais i syllu. Troais fy mhen yma, ac acw. Gwenu'n gellweirus, gwenu'n braf, gwenu'n swil, gwenu'n… Oedd hi yno? Oedd Rose yno, wedi ei dal fel gwyfyn mewn mêl, wedi aros efo fi ar hyd yr holl flynyddoedd, ac yn cael dangos ei hun rŵan i mi, o'r diwedd, rŵan 'mod i'n gwybod sut un oedd hi, sut wyneb oedd gan fy mam. Ac oedd, wrth droi fy mhen i'r chwith a chodi fy ngên fymryn a rhoi rhyw dro ar fy ngwefus ucha… Oedd! Oedd, roedd hi yno, roedd hi'n gwenu'n swil arna i, yn sbecian arna i yn y drych, cystal â deud, 'Dwi yma, sti. Fi ydy chdi a chdi ydw i.'

*

Mae yna oglau llwch ar y sbotolau yn yr hen neuaddau yma. Nid jyst y smotiau bach o lwch sy'n perfformio'n orffwyll wrth i'r golau ffrydio ar y llwyfan, ond mae yna oglau hefyd. Mae'n oglau sy'n aros efo fi, yn rhan ohona i ac yn mynnu dod yn amlwg pan dwi'n meddwl am orfod perfformio.

Does 'na'm stafell o werth i newid ynddi yn y neuadd yma heno, ac mae honno sydd yma yn llawn o hen gadeiriau wedi torri a rhyw focsys sy'n llawn o rywbeth rhy gymhleth i'w daflu, yn amlwg. Mae'r cadeirydd wedi rhyw how ymddiheuro am gyflwr y lle, ond dwi'm yn gwneud ffws. Dwi'n falch o gael gofod o gwbl. Tydy sioe un ddynes byth yn mynd i fod dan ei sang, a dydw i fawr o Judi Dench. Megis dechrau dwi, 'de? Ers blynyddoedd.

Dwi'n sefyll wrth ochr y llwyfan. Yr un oglau sydd ar y llenni melfed trwchus yma, oglau llwch, oglau petha'n darfod, a rhyw hen we pry cop o'r oesau a fu yn belen fach lwyd styfnig yn cuddio yn y plygion. Mae 'na siffrwd yn yr awditoriwm, sŵn da-da sgleiniog yn cael eu rhannu, sibrydion, addewidion, bygythiadau i fihafio, addewid o tsips ar y ffordd adra.

Mae'r miwsig yn dechrau…

Dwi'n cael fy llyncu gan y golau a'r llwch.

EMRALLT

Dyma'r golau gwyrdd.

Rhaid symud, yn gorfforol, ac yn ôl i'r gorffennol weithiau.

Does dim hunanymwybyddiaeth o'r newid ganddyn nhw bellach.

Gall y rhwystredigaeth ddangos ei hun drwy fod yn ymosodol.

ROSE

Y sŵn yna ydy o. Miwsig… ia, miwsig. Cân, yn dŵad o bell o'r… rad? Hwnna sydd ar fan'na. Y rad. Dwi'm yn medru, ddim yn medru… ca'l y… lle, lle mae pawb yn siarad Cymraeg. Dwi'n dal i droi'r peth, y peth crwn… ond does 'na'm… 'di o'm yn medru ffeindio adra arno fo. Mae 'na siarad dwi'm yn ddallt, geiria diarth, darna o fiwsig fel hancesi yn fflap-fflapio yn y gwynt. Adar. Miwsig fel adar, fath yn union. Ond dwi'n eu nabod nhw. Eu cân nhw… Ac wedyn mae o'n dŵad. Y gân. Heno, heno… Dyna ydy o. 'Heno, heno, hen blant bach…'

Mae'n braf medru eistedd am funud, a chau llygaid, a syrthio yn braf, braf i mewn i'r gân… A chofio Mam. Mam yn ei chanu hi. Mam bach yn ei chanu hi, ei llais yn graciau i gyd, a finna ar lin Mam ac yn hapus, hapus. 'Dime, dime, dime…'

'Be ydy dime, Mam? Be ydy o?'

'Hen bres, cyw. Hen bres ydy dime.'

Ac wedyn dwi'n cofio. Mae'n rhaid i mi fynd, toes? Mae'n rhaid i mi fynd yn ôl am adra. Mi fydd hi'n meddwl lle ydw i… yn poeni lle ydw i. Mam. A dwi'n hwyr. Dwi'n siŵr 'mod i'n hwyr, achos mae hi'n dechrau mynd yn ddu, yn nos. Fydd hi'n nos a Mam yn poeni. Yn bwrw glaw a Mam yn poeni.

Ond tydy o'm yn dallt, nac'di. Hwn. Y dyn 'ma. Hwn. Tydy o'm yn dallt.

'Ti'm isio mynd allan rŵan, Rosie. Ti'm isio mynd allan.'

Ddim yn dallt mae o. Dwi'n deud bod Mam yn poeni amdana i, ac am y glaw a 'mod i'n hwyr, ond tydy o'n poeni dim am hynny, ond yn chwerthin. Ond tydy o ddim yn chwerthin yn hir, ac mae 'na storm yn ei lygaid o.

Mae raid i mi… beth'ma, ddeud wrtho fo. Deud yn iawn wrtho fo. Paid ti â chymryd. Iddo fo ddallt. Iddo fo adael i mi fynd adra. Adra dwi fod. Adra.

Mae o'n trio tynnu 'nghôt i wedyn. Y bastad. Y diawl. Cheith o'm gneud. Tydy o ddim am gael tynnu 'nghôt i, tydy o ddim am gael…! Na! Paid! Paaaid!

NINA

Mi wnes i gwglio fo wrth gwrs. Tydy'r we i fod i leddfu pob ansicrwydd, a diwallu'r newyn am wybodaeth? Manna i'r seibrcondriac. Gair rhywun arall oedd 'dementia' cyn hyn, er bo' nhw'n sôn amdano fo o hyd ar y cyfryngau dyddiau yma, fel 'sa fo'n rhyw blaned maen nhw newydd ei darganfod.

Fedrwn i fod wedi cerdded i ffwrdd. Na, doedd dim rhaid i mi hyd yn oed gerdded i ffwrdd. Roedd yn haws na hynny. Doedd dim rhaid i mi fyth fynd 'nôl. Esgus 'mod i erioed wedi'u gweld nhw. Erioed wedi eu cyfarfod. Fasa pawb wedi dallt. A fasa hi ddim callach. A hi oedd yr un oedd yn cyfri, i fod.

A dyna wnes i. Dros fisoedd y gaeaf. Rhyw Ddolig gwag yn cogio 'mod i'n licio gwin dialcohol a'r rhyddid o fod ar fy mhen fy hun heb Sam. Heb neb.

Ond yn ôl ydw i. Mae'n gyffur, gwybod bod eich mam iawn chi'n byw ac yn anadlu ac yn agor ei llygaid bob bora ar y byd, rhyw fyd, pa bynnag fyd mae hi'n ei weld pan mae hi'n deffro.

Drws gwyrdd ydy o, a rhyw sgwaryn bach o wydr

niwlog i dorri ychydig bach ar undonedd y gwyrddni. Mae ’na sgerbwd rhyw blanhigyn yn gwau ei ffordd uwchben ffrâm y drws, ac eto mae ambell ddeilen ffrwythlon yn awgrymu y bydd hwn yn ffrwydrad o liwiau yn y gwanwyn.

Mae yna gryndod dan fy mys pan dwi’n pwyso’r gloch, a dwi’n clywed y siarad a’r stŵr y tu mewn ymhell cyn i mi weld wyneb neb yn nesáu at y sgwaryn bach niwlog yng nghanol y drws.

‘Rosie bach, gwranda, fedri di ddim...’

Ac yna mae’r drws yn agor. Ac mae hi’n sefyll yno, a’i chôt amdani. A golwg benderfynol yn y llygaid gwyrddion. Mae ei gwallt wedi ei sgubo’n ddramatig ar un ochr i’w phen, ac mae’r lipstig coch wedi ei osod yn herfeiddiol, a’r lliw yn gwaedu dros ymylon y gwefusau. Dwi’n meddwl amdana i’n lliwio llyfr lluniau ac yn cael ffrae gan yr athrawes am fynd dros y llinellau. Mae ei natur heriol yn drawiadol o hardd.

Mae Cleif y tu ôl iddi yn ei frat efo llun o ddynes hanner noeth mewn bicini arno, yn gafael mewn gwydraid o siampên. Brat yn dod â chellwair priodas iach i’r wyneb, priodas o rannu jôc. Dwn i’m be sy’n achosi'r embaras mwya iddo – 'mod i'n gweld y brat sydd yn jôc fach breifat rhwng dau ar aelwyd glòs, 'ta fod Rosie yn sefyll yma yn heriol o'i flaen.

'Nina, sori, ma hyn jyst newydd...'

'Dyma hi!'

Mae hi'n estyn amdana i ac yn fy nghofleidio'n dynn. Dwi'n teimlo'i hesgyrn hi drwy ei chôt.

'Dyma hi'r lifft wedi dŵad!' meddai wedyn, ac mae ei llais yn fuddugoliaethus. 'Ddudes i! Ddudes i bo' fi'n cael lifft!'

'Ia, ond dwn i'm os ydy Nina yn —'

'Bag! Dwi isio fy mag! Lle... lle blydi bag?'

Mae hi'n edrych ar Cleif fel tasai hi'n barod i'w daro am eiliad, ac yna'n merwino mewn ennyd. Yn merwino ac yn taenu cledr ei llaw ar hyd ei fochau, ar hyd ei drwyn, ei wefusau. Mae'r tynerwch yma'n achosi llawer mwy o embaras i mi. Ond mae o'n helpu Cleif.

'Ty'd. Ty'd... nawn ni banad i Nina, ia?'

'Nina.'

'Ia, ma Nina wedi dŵad i edrych amdana chdi, yli. Wedi dŵad i ddeud helô.'

Mae'n gafael yn ei braich ac yn dechrau ei throi yn araf yn ôl i mewn i'r tŷ, ond mae hi'n troi ata i, ac yn syllu'n syth i mewn i fy llygaid i, a does dim lle i amau ei diffuantrwydd.

'Mae hwn yn siarad efo fi fel 'swn i'm yn gall, sti! Fel taswn i'n hollol dwlali! Dwi 'di deud 'tha fo, dwi'n hollol iawn. Dwi'n…'

'Yndach. Yndach, Rose.'

Mam? Dwi'n mynd i fedru ei galw hi'n Mam o gwbl?

'Jyst isio mynd adra dwi. Ma hynny'n iawn, tydy? Isio mynd adra dwi, adra ma pawb isio mynd yn diwadd, 'te?'

'Ia, dach chi'n iawn. Dach chi'n berffaith iawn,' medda finna, gan wenu arni ac osgoi llygaid Cleif wrth iddo edrych arna i.

'Pwy dach chi 'fyd? Dach chi'n neis. Yn ddel. Tydy, Cleif?'

'Dan ni'n cael cinio efo'n gilydd, mewn cegin fach efo *post-its* fel pilipalod ar hyd y lle. 'Cwpanau' ar un cwpwrdd, 'Cyllyll a ffyrc' ar ddrôr, 'Ffrij'. Mae Cleif yn sgubo'r domen bapurau oddi ar y bwrdd bach crwn yn y gegin, ac mae'r tri ohonan ni'n cael ffa pob ar dost, fel tasai hynny'r peth mwya naturiol yn y byd. Fel tasa hyn yn ddefod ddyddiol. Dwi'n sylwi ei fod o'n cadw llygad barcud arni hi. Mae'r tri ohonan ni yn gwisgo *serviette*, hyd yn oed Cleif efo'i frat dynes mewn bicini. Ond dim ond ei *serviette* hi sy'n gweithio am ei le. Mae o wedi torri'r bara yn sgwariau bach iddi cyn i ni eistedd i lawr. Ac mae hi'n medru gwneud yn iawn efo'r gyllell a'r fforc.

'Mae Nina yn actio, Rosie!'

'Actio!' meddai Rose, ac mae yna ffa pob yn syrthio o'i cheg wrth iddi siarad. Dwi'n sbio ar fy mhlât a chogio 'mod i heb sylwi.

'Actio! Ar y teli dach chi? Dach chi ar y teli? Yn, yn gneud… hynna?'

'Nac'dw, chi. Wel, ddim eto!'

'Eto? Dach chi wedi gneud o'r blaen?'

Mae Cleif yn torri ar draws.

'Be mae Nina'n feddwl ydy, mae hi'n gobeithio medru mynd i actio ar y teledu rhyw dro.'

'Yndw,' medda finna, er bod hynny ddim yn wir o gwbl.

Mae Rose yn troi at Cleif, a'i llygaid yn culhau.

'Dwi'n dallt. Sdim isio... Ti o hyd yn...'

'Canu?' meddai Cleif wedyn, yn ymbalfalu am air sy'n angor. 'Dach chi'n canu, Nina?'

Ac yna mae Rose yn dechrau canu. Mae ei llais yn ysgafn, yn fwy o chwiban nag o lais mewn gwirionedd, yn mynd ar ei drywydd ei hun fel afon yn troi ac yn ystumio ac yn troi'r ffordd hyn a'r ffordd arall, yn wyrdd ac yn bur ac yn creu ei berffeithrwydd ei hun.

Dwn i'm pam dwi'n dechrau canu efo hi, fy llais i'n dilyn ei llais hithau, i fyny bryniau a phonciau ac ar draws nentydd dienw. Y ddwy ohonan ni yn ei morio hi, ac yn edrych i fyw llygaid ein gilydd wrth wneud.

Wedyn, pan mae Rose yn mynd i eistedd drwodd yn y lownj wrth ymyl y ffenest ac yn cael napan, dwi a Cleif yn bartnars golchi llestri.

'Ma hi'n well na hyn, fel arfer. Dwn i'm be...' meddai.

'Ma'n iawn.'

'Mi ddaw ati'i hun. Tydy hi'm 'di bod yr un fath ar ôl yr hen —'

‘Ffliw,’ medda fi, ac mae’r ddau ohonan ni’n edrych i fyny ’run pryd, gan edrych i lawr yr un mor sydyn. Ond mae’r gyd-ddealltwriaeth wedi ei sefydlu.

Felly ’dan ni’n cyflawni’r gorchwyl, a dim ond sŵn symud mewn dŵr a thincial llestri yn gyfeiliant i’n meddyliau ni. Mewn drama, mi fasa ’na linell yno, yn hofran yng nghefn llwyfan fy mhen, yn barod i gael ei deud. Dwi’n aros amdani, ond tydy hi ddim yn dŵad.

‘Ti’n dda efo hi,’ meddai Cleif o’r diwedd, a’i ddwylo mawr yn taenu’r lliain dros wyneb un o’r platiau. Dwi’n anwesu’r ‘ti’ i mewn i ’mhlât innau wrth ei sychu.

Dwi ddim yn medru penderfynu ydy o’n hapus am y peth ai peidio. Mae’n ddatganiad. Yn gyfaddefiad, ella.

‘Dwn i’m. Jyst mynd efo hi… trio troi’r stori.’

Dwi’n teimlo’n euog ’mod i bron iawn yn dyfynnu’r cyfarwyddyd ar y we air am air. Fel taswn i’n brofiadol. Fel ma’ fi ac nid y fo sydd wedi gorfod byw efo hyn bob awr o’r dydd a’r nos ers misoedd.

‘Ia, ti’n iawn. ’Sa hynny’n well ma siŵr. Weithia dwi’n anghofio, sti. Anghofio ma’ nid efo…’

Mae o'n edrych i lawr ar y plât ac yn dal i'w rwbio'n sych nes bod y tsieina yn gwichian.

'Roeddan ni'n arfer trafod bob dim. Pob dim. Be i gael i de. Pa fath o jam i brynu. Lliw nesa'r paent yn y bathrwm bach… Ac yn dadla! Mam bach! Dadla dros bolitics. Dros Brexit, dim bod yr un ohonan ni'n ei ffafrio, ond yr ail refferendwm oedd yn ein plagio. Dadla dros sut oedd rhedag y wlad, fel tasa ganddon ni lais yn y peth!'

Chwerthin gwag oedd o, un byrhoedlog, gwag.

'Unwaith dach chi'n meddwl bo' gynnoch chi ddim llais, dyna hi wedyn,' meddwn i. 'Unwaith mae rhywun yn sglyfaeth i fympwy'r drefn.'

Tydy o ddim fel tasai'n fy nghlywed i. A dwi'n meddwl am Rose.

'Y rhannu ti'n ei golli, sti. Rhannu petha. Y petha bach 'na…'

'Ia,' meddwn i. Dwi'n meddwl ategu hynny efo gwireb: 'Y pethau bach ydy'r pethau mawr', ond mi fasa'n swnio'n llipa, rywsut. Yn y gegin fach yma efo rhywun yn gwneud ei orau i drio byw o blât i blât.

Wedyn, dwi'n deud bod yn rhaid i mi fynd, ac mae'n gofyn i mi aros am funud tra'i fod yn picio i'r lle chwech, ac eistedd efo hi rhag ofn iddi ddeffro a dychryn fod 'na neb o gwmpas.

Mae hi'n cysgu'n gegagored yn y gadair pan af i draw, a rhyw berl bach o lafoer ar ymyl ei cheg, sy'n crynu wrth iddi hi anadlu. Af i eistedd drws nesa iddi, ac edrych arni fel taswn i'n edrych ar gerflun; archwilio ansawdd ei chroen, y blew melyn ysgafn uwch ei gwefus dop pan fydd yr haul drwy'r ffenest yn sgleinio arno. Mae hi'n edrych yn llawer hŷn na'i hoed fel hyn.

Mae ei dwylo ar ei glin, ond yn symud bob hyn a hyn, yn aflonydd, yn anniddig. Syllaf ar yr ewinedd byrion, wedi eu torri er mwyn glendid, er mwyn ei diogelwch ei hun a phawb arall. Rhed y gwythiennau'n gynrhon glas dan y croen. Rhein oedd y dwylo. Rhein oeddan nhw. Faint oedd hi wedi gafael yn y bwndel bach o fabi, a sbio ar y cylch bach o binc ynghanol cwrlid gwyn? Faint oedd hi wedi cael fy mwytho, fy ngharu? Faint oedd hi isio? Oedd y dwylo yma wedi fy rhoi i ffwrdd yn barod, yn ddiolchgar? Oedd y babi…? Oeddwn i wedi cael fy nhynnu'n araf oddi wrthi, a'i bysedd yn cau amdana i, yn gwrthod gadael fynd? Oedd yn rhaid iddyn nhw'n rhwygo ni'n dwy ar wahân?

*

Mae'r gynulleidfa yn cymeradwyo, a daw bonllef fentrus o rywle.

'Ac ar ddiwedd hyn i gyd, dyma fi. Wedi dinoethi fy hun o'ch blaena chi. Ia, Mr Jones, yn ystod yr adeg wnaethoch chi syrthio i gysgu, yn anffodus! Hen dro!'

Mae'r gynulleidfa yn chwerthin.

'Dwi wedi agor fy nghalon i chi. Dach chi 'di bod yn grêt. Ella gawn ni neud o eto rhywbryd? Be dach chi'n ddeud?'

Chwerthin bach ansicr yn swigod bach ymhlith y gynulleidfa cyn suddo'n ôl dan yr wyneb. Mae'r golau'n diffodd.

Maen nhw'n cymeradwyo eto, chwara teg. Dim ond rhyw ddeg sydd yma heno, ond maen nhw'n trio'u gorau i gymeradwyo fel tasan nhw'n griw o hanner cant. Yn chwarae eu rôl.

Dylwn i fod yn ddiolchgar, yn hapus efo sut aeth petha, er gwaetha'r niferoedd isel. Maen nhw wedi chwerthin yn y llefydd iawn. Wedi distewi yn y rhannau mwy dwys a thyner. Dwi wedi cyflawni'r hyn oedd y monolog i fod i'w gyflawni. Wedi mynd drwy 'mhethau o flaen pobol sydd wedi ffeirio eu soffas cyfforddus amdana i heno. Ac maen nhw wedi clapio.

Ond dwi'n teimlo'n ofnadwy. Yn anarferol o flinedig, a belt wast fy nhrowsus yn brathu i mewn i fy mol. Ydy o wedi dechrau? Y newid corfforol yma? Ydy o wedi dechrau gafael yndda i yn barod?

ROSE

Twll ydy o.

Twll. Mawr. Du. A dwi'm yn mynd i gamu drosto fo, fedra i ddim. Mae 'nhraed i fel... Fedra i ddim.

'Help!'

Dwi'n gweiddi 'Help!' eto ond tydy o'n gwrando dim, y dyn yna. Mae 'na sŵn chwerthin yn dŵad o ffor'cw, sŵn parti a chanu a chwerthin a…

Dim fi bia'r traed mawr 'ma. Dau lwmpyn ydyn nhw, yn symud yn ara deg. Traed eliffant. Ond dwi'm isio syrthio… i'r twll. Rhaid i mi drio. Rhaid… i mi neidio… trio… neidio…

NINA

Mi faswn i wedi cerdded adra'n arferol, os oedd y lle mor agos â hyn. Dwi'n licio teimlo pinnau'r nos yn pigo i mewn i mi ar ôl perfformiad. Mae yna rywbeth mor real, mor ddiffuant yn hynny, yn y teimlo yma heb fod angen geiriau. Heb fod angen unrhyw feddwl, dim ond cerdded a theimlo, yn wag, yn ddigyfrifoldeb.

Ond efo'r can punt yn blygiadau cynnes o hyd yn fy mhoced, dwi'n cael tacsi heno, efo dyn tacsi sydd yn un o'r rhai distaw, diolch byth, ac yn gadael i mi suddo i'r sedd yn y cefn heb orfod trio cogio dal pen rheswm efo fo am gyflwr y lonydd ac aneffeithiolrwydd y Cyngor.

Dwi'm yn sylwi arno yn syth, ar ôl camu allan o'r tacsi, er ei fod wedi sefyll o dan un o lampau'r stryd fel fy mod yn medru ei weld.

'Nina?'

Dwi'n ofnadwy o falch o'i weld o, ond dwi'n ofnadwy o flin ar yr un pryd. Mae Sam wastad wedi medru ennyn y teimladau eithafol yndda i. Nid perthynas lwyd oedd ganddon ni erioed.

'Sam, be wyt ti'n…?'

'Sgwrs, Nina. 'Dan ni angen siarad, tydan?'

Dwi'n cael trafferth troi'r goriad yn y clo i agor y drws, ac mae o'n gorfod fy helpu. Wedi blino ydw i, a'r golau uwchben y drws ffrynt yn dechrau pylu.

'Ti angen newid y bwlb,' meddai, fel tasai'r peth mwya naturiol yn y byd.

'Chdi oedd i fod i neud, ti'n cofio?'

'Ches i'm cyfla yn diwadd, naddo?'

Dwi'n cynnig panad iddo fo am fy mod i angen un fy hun. Yr holl siarad yna, yr holl daflu llais a pherfformio, mae o wastad yn fy ngwneud i'n sychedig.

Mae'n eistedd ar un pen o'r soffa fel tasa fo'n ddyn diarth, ond yn ymlacio drwyddo unwaith mae o'n mwytho'r mẁg o goffi yn ei law, ei goesau yn ymestyn allan o'i flaen.

'Pryd oeddat ti'n mynd i ddeud wrtha i, Nina?'

Tydy o ddim yn wastio amser. Dwi'n teimlo fel plentyn fy hun, yn cael fy nal yn deud celwydd, yn gwneud drygau. Codi'n sgwyddau ydw i. Codi'n sgwyddau am mai hynny oedd y gwir.

'Sut wyt ti'n gwbod?'

'Avril welodd chdi.'

'O, blydi Avril! Tydy honna'n gweld bob dim!'

Llywaeth. Piwis. Afresymol.

'Gneud ei gwaith oedd hi, Nina. A digwydd dy weld yn cerdded i mewn i'r Uned.'

'Ia, wrth gwrs!'

Do'n i erioed wedi cymryd at Avril. Am ei bod yn rhannu rhan ohono fo na fyddwn i byth yn medru ei rhannu, ella. Am 'mod i ddim yn gwybod, falla, sut beth oedd cael chwaer fy hun.

'Faint?'

'Wel, yno am y sgan deuddeg wsnos o'n i, felly gweithia fo allan, Sam.'

'Y sgan.' Roedd ei lais o'n ddistaw, yn llawn gwacter cyfle wedi ei golli.

'Doedd 'na'm byd i'w weld. Os ydy hynny'n rhyw gysur. 'Sa chdi bron ddim callach...'

Sgrin niwlog, siapiau, fel o'n i wedi eu gweld o'r blaen gan bobol eraill. Ffilm ddu a gwyn efo signal gwael. Ches i'm cyffro, dim gwefr o weld amlinelliad y penglog, a llaw fach fel seren fôr yn ymestyn allan. Babi. Meddan nhw.

'O, Nina...'

Hynny sy'n gweithio. Hynny sy'n gwneud y tric. Yr angerdd yn ei lais. Y siom.

*

Do'n i ddim wedi trafferthu cau'r llenni, felly mae golau'r stryd yn igam-ogamu ar draws ein cyrff ar y gwely. Mae hi'n braf teimlo ei wallt yn erbyn fy mronnau, yn feddalach nag o'n i'n gofio, a rhyw fymryn o farf yn cosi top fy mol. Coda ei ben a phrin gyffwrdd ei wefusau ar hyd fy stumog. Eto ac eto ac eto, a sŵn y siffrwd llaith yn uchel yn y distawrwydd.

‘’Dan ni ’di gorffan, Sam.’

Ac mae’n stopio’r cusanu, yn plygu’n ôl, a dal ei ben yng nghwpan ei law.

‘Ond fedran ni byth orffan am byth rŵan, Nina. Dim efo’r peth bach ’ma’n… Osgar bach…’

‘Osgar! O blydi hel, be? Osgar?’

‘Wel, ia! Fedran ni ddim jyst ei alw’n “beth bach” am fisoedd rŵan, na fedran? Fydd dy fol di ddim wastad mor fflat â hyn, sti!’

‘Paid!’

Fedra i ddim cysoni’r corff dwi wedi arfer efo fo efo’r chwydd balŵn annaturiol fydd yn gwthio fy nghyflwr i sylw’r byd mewn ychydig.

‘Ond ma’n naturiol!’

‘Ond paid, Sam. Plis. Dwi’m ’di…’

Dwi’m ’di arfer efo’r syniad. Efo rhannu’r syniad. Mae meddwl symud o’r stad breifat i’r stad gyhoeddus yn ddychryn. Yn arswyd. Ac mae’r syniad o orfod gwneud rhywbeth, gweithredu un ffordd neu’r ffordd arall…

Ond, ‘Yndy. Naturiol. Wrth gwrs!’ ydy’r unig beth dwi’n ei ddweud wrth Sam.

A dwi'n meddwl am Rose wedyn. A'r syniad ohona i a dyfodd yn realiti. Yn chwydd ac yn floedd ac yn glwstwr o gariad ac addewid a siom. Yn flaguryn o wyneb mewn siôl. Cyn troi'n ôl yn syniad unwaith eto. Yn gyfrinach. Ac wedyn ella'n ddim yn ôl.

AMBER

Creadur bach yn gaeth mewn eiliad o amser ydy amber.

Mae cyffwrdd pethau fel plancedi meddal yn dod â chysur mawr.

Ni all amber reoli emosiynau, a gall bryderu wrth gyflawni gweithredoedd syml, pob dydd.

Nid yw yn eich nabod.

ROSE

Gin i waith. Lot o waith, plygu a… plygu. Maen nhw 'di rhoi toman o betha i mi neud cyn i mi… cyn i'r dyn… cyn iddo fo ddŵad adra. Dwi'n un dda, medda fo. Am blygu.

Sgen i'm isio sws gynno fo. Mae o'n neis, ac yn glên, ond dwi'm isio sws. Dwi'n trio deud. Ond mae'n neis. Ac yn glên.

Hwn dros hwn… hwn dros… dros be? Dydy o'm yn hawdd. Dydy o'm yn waith hawdd, a well bo' fi'n ca'l… be dach chi'n galw… digon o… hynna, am neud.

Mae o'n dŵad â'r rad ata i, ac yn gwenu arna i. Dwi'n licio'r gân.

'Ti'n cofio?' medda fo. 'Ti'n cofio hon? Yr Eagles.'

Mae o'n dechrau canu wedyn, ac mae o'n gwenu cymaint mae ei lais o'n mynd yn wirion i gyd.

'You can't hide your…'

'Lyin' eyeeees…'

'And your smiiiiiiile is a thin disguiiiiise…

I thought by now…'

'You'd realiiiiiize...' medda finna, ac mae o'n nodio, wrth ei fodd.

Mae'r ddau ohonan ni'n canu wedyn efo'n gilydd, ac mae o'n gafael yn fy nwylo i wrth wneud.

'There ain't no way to hide your lyin' eyes...'

'Ti'n cofio ni'n mynd i'w gweld nhw, Rosie? Ti'n cofio ni'n mynd? Wembley oedd o, 'de? Gawson ni hotel a phob dim, ti'n cofio, cyw? Gofi di, d'wad?'

'Lyin' eyes.'

'Ia...'

Mae o'n sbio i ffwrdd rŵan, fel taswn i 'di deud rhwbath cas wrtho fo.

'Eagles,' medda fi.

Mae'r gair yn hedfan i lawr fel deryn. Mae'n eistedd ar fy ysgwydd i rŵan, ac yn ysgwyd ei aden, ei freichiau. Eeeeeagles.

Ac wedyn dwi'n clywed y drws ffrynt yn agor, ac mae hi'n sefyll yno. Dynes. Gwallt coch. Honna. Rose? Rose 'di'i henw hi?

'Nina. Nina,' medda hi, ac mae hi'n rhoi ei llaw ar fy llaw innau, ac yn gwenu. Mae hi'n neis. Annwyl.

'O, helô, 'mechan i. Helô, peth bach... Helô.'

A dwi'n gafael yn ei llaw hi ac yn swsio swsio swsio swsio swsio…

'Canu dach chi? Yr Eagles, ia?' mae hi'n ei ofyn, ac yn gwenu, a'i gwallt yn goch, goch neis.

'Eagles!' medda fi, ac mae'r deryn yn mynd ac yn mynd i eistedd ar fan'ma iddi hi rŵan, ar ei… be dach chi'n galw, ei hysgwydd hi.

NINA

Wedi dianc i'r gegin ydan ni. Y tegell yn chwiban cysurus.

'Golwg ofnadwy arni, Cleif.'

'Ofnadwy. Mae o'n waeth heddiw os rwbath. Wedi dechra duo a mynd yn biws o ddifri. Dwi'n teimlo mor, mor euog.'

'Euog?'

Mae'n rhaid i mi ofyn, ond dwi'n trio 'ngora i gadw'r cyhuddiad allan o'n llais. Y peth dwetha mae Cleif isio ydy… Ond mae o dan straen.

'Euog?'

'Wel ia, wsti, am ei gada'l hi. Do'n i'm yn bell, cofia. 'Di mynd drwodd i'r stafall haul i sortio rhyw hen lunia a ballu. Meddwl baswn i'n trio chwilio am lunia, i drio symud ei meddwl hi, ei hysgwyd hi i drio cofio.'

A'r ymennydd fel darn o gaws yn cael ei gnoi gan lygoden fawr hyll, yr ymennydd yn diflannu fesul darn, fesul cegaid. Ond dwi'n deud dim byd wrtho. Cleif annwyl.

'O'n i 'di troi'r radio 'mlaen. 'Di dechra anghofio fi'n hun deud gwir, ca'l cysur, sbio'n ôl, gwrando ar y malu awyr ar y radio. Bywyd pob dydd, 'lly.'

Y petha bach ydy'r petha mawr.

'Ac wedyn...'

'Syrthio ddaru hi?'

'Ar ei hyd, 'chan. Trio mynd o'r gegin i'r pantri gefn o'dd hi. Methu camu dros ryw fat ar y llawr. Mynnu ma twll oedd o. Taro'i phen ar y concrit. Wel, doedd 'na'm gwaed, nag oedd? Dim llawar. Ella 'sa hynny 'di bod yn well, tasa hi... Beth bynnag. Mae hi'n dal ei llaw yn erbyn ei phen weithia, ond tydy hi'm i weld mewn llawar o boen.'

'Dach chi 'di deud wrth rywun?'

'Wrth bwy, d'wad?'

'Wel, dwn i'm. Yr awdurdoda? Y nyrs, honno sy'n galw yma unwaith yr wsnos meddach chi?'

'Naddo. Mi fuodd honno echdoe, cofia. Trio perswadio Rosie i wisgo un o'r petha 'na ar ei garddwrn, rhag ofn iddi syrthio. Dyna chdi eironig!'

'Doedd o'm gynni hi? Hwnnw?'

''Sa hi'm haws â'i wisgo fo, sti. 'Sa rhaid iddi gofio pwyso'r blydi botwm coch i ddeud ei bod hi wedi cael codwm, a 'sa hi byth yn cofio gneud. Rhwbath i'r rheiny sy'n fusgrell ond yn iawn yn eu meddwl ydy o, nid i rywun fel...'

'Ond 'sa'n dawelwch meddwl ella?'

'I bwy, Nina?'

'I chi?'

'Ella... 'Sa'n cau ceg y nyrs yna am sbel eto, tan iddi ddŵad draw efo rhyw syniad gwych arall er mwyn ticio un o'i bocsys!'

Does dim yn tycio, i weld.

'A dwi yma, p'run bynnag, tydw? Dwi yma efo hi rownd ril.'

Does dim rhaid iddo ochneidio hefyd, mae'r geiriau'n ddigon.

'Ond fedrwch chi ddim cario mlaen...'

Ac wedyn mae o'n gollwng cwpan, a honno'n malu'n rhacs ar y llawr. Y darnau yn hen ddannedd pigog hyll yn creu rhyw grechwen ar y teils. Mae ei ddwylo fo'n crynu.

'Damia, blydi...'

'Ylwch, gadwch i mi!'

Ond mae o'n fy ngwthio fi o'r ffordd, yn ysgafn ond yn gadarn.

'Na! Dwi'n medru gneud! 'Dan ni'n medru gneud yn iawn! Pam na fedar pobol ddim dallt hynny? Pam na fedar pobol ddim...? Hannar cyfla ma nhw isio. Hannar esgus i'w chymryd hi o 'ma i ryw hôm. Hannar esgus, yli!'

Mae'r waedd yn dychryn y ddau ohonan ni, yn sŵn malurio miloedd o gwpanau tsieina bregus ar filoedd o loriau teils ar hyd y byd.

Mae hi yno eto. Yn sbio arna i. Hen hen hen ddynes. Gwallt gwyllt. Coch. Hyll. Blêr. Llygad ddu. Wedi bod yn cwffio ma hi. A rŵan, mae hi isio cwffio efo fi.

Dwi'n tynnu tafod arni hi. Mae'n hyll. Ac mae hi'n tynnu tafod yn ôl. Tynnu tafod tynnu tafod tynnu tafod tynnu tafod.

Ac mae hi'n dangos ei dannedd. Rhai melyn… fel Mot. Mot y ci yn gwenu ac yn gas… fel hon.

'Ewch o 'ma! Ewch! Ewch!'

Sgynni hi ddim hawl. Ddim i fod. Isio dwyn. Pam ma hi'n gweiddi arna i fel'na?

Ac wedyn mae o yna, ac wedyn hi, yr un ifanc ddel efo'r gwallt, yn trio deud bod yr hen ast hyll wedi mynd a bod pob dim yn iawn.

Mae'r un ifanc yn rhoi'r peth'na o gwmpas ei gwddw dros y ffenest lle mae'r hen ast hyll, ac mae hi'n mynd.

'Wedi mynd rŵan,' meddai'r hogan ifanc. 'Ddaw hi ddim yn ôl eto.'

A dwi'n sbio eto ac yndy, mae hi wedi mynd! Wedi mynd mynd mynd!

'Hen bitsh oedd hi, honna! Hen beth hyll!' medda fi, ac maen nhw'n chwerthin, fo a hi. A dw inna'n dechrau chwerthin hefyd. Braf ydy hyn. Y chwerthin yma sy'n gwneud i mi deimlo'n gynnes neis tu mewn. Chwerthin fel yfed panad.

NINA

Mae o'n ddarlun ystrydebol, braf. Gŵr a gwraig yn cerdded mewn parc. Het gan y ddau. Sgarff yn gwlwm dan ên, y naill yn ganllaw i'r llall. Maen nhw'n stopio, ac yn syllu i'r pellter, yn codi bys a phwyntio at rywbeth, yn cerdded ymlaen eto, dan sgwrsio.

'Wel, helô chi! Mae hi 'di codi'n braf, do!'

Mae'r wên dwi'n ei chael yn ddel, yn brydferth. Mae hi'n fy nabod i.

'Pwy dach chi eto?'

Gwenu ar ein gilydd wna Cleif a finnau.

'Hanner awr,' meddai Cleif, a dwi'n gweld ei bod yn mynd i fod yn hanner awr hir iddo fo. Yn hanner awr bwysig.

''Swn i'm yn gofyn, blaw...'

'Cleif, ma pawb yn gorfod mynd at y doctor weithia. Ma'n bwysig bo' chitha'n edrych ar ôl eich hun. I chi gael bod yno i Rose.'

Mae o'n gweld synnwyr hynny, yn nodio'n egnïol.

'Doctor?' meddai Rose yn bryderus. 'Dwi'n mynd at y doctor?'

'Hanner awr!' meddai Cleif eto, a mynd.

'Dan ni'n edrych arno fo am funud, ei goesau'n mynd yn fân ac yn fuan, fel tegan 'di cael ei weindio a'i ollwng i fynd. Dwi wedi cynnig ei fod yn cael awr neu ddwy iddo fo ei hun, iddo fo gael gwneud rhywbeth o werth, rhywbeth sydd ddim yn troi o'i chwmpas hi, ond tydy o ddim yn fodlon. Ond mae'r hanner awr yma'n bwysig. Yn foment fawr o ollwng ac o drystio.

'Lle mae hwnna'n mynd?' gofynna Rose, a dwi'n ei theimlo'n mynd braidd yn anniddig, ei chorff yn tynhau i gyd. Mae hi'n edrych i'w gyfeiriad o hyd.

'Sbïwch, sbïwch be sy'n fan'ma ar y llyn, Rose! Sbïwch! Chwiad! Ylwch del ydyn nhw! Ylwch del!'

Mae gen i baced o grisps ar ei hanner yn fy mhoced, a hanner brechdan sydd ar ei ffordd i'r bin ers diwrnodau. Dwi'n pysgota amdanyn nhw ac yn arwain Rose yn araf at ymyl y llyn yn y parc. Mae hi wedi bod yn bwrw ac mae'r tarmac yn dal yn sgleiniog, ac ambell bwll wedi cronni yma ac acw. Mae'r meinciau'n rhy wlyb i eistedd arnyn nhw ar hyn o bryd, ond buan sychith yr haul nhw. Yr haul yma sy'n ein gwneud ni'n dwy yn hardd ac yn eurben wrth sefyll ar ymyl llyn mewn parc.

Mae hi wedi gwirioni efo'r hwyaid. Ac yn siarad efo nhw, a'i llais yn feddal, rhyw feddalwch nad ydw i cweit wedi ei glywed o'r blaen.

'Oooo, ty'd ty'd ty'd yma. Ty'd, peth bach. Ti isio? Ti isio? Oooo…'

Dwi'n rhoi'r bara iddi, ac yn arwain ei llaw wrth iddi ei daflu i'r dŵr. Mae'r hwyaid yn symud yn chwim, a dwy yn cystadlu am yr un darn, yn sblash ac yn firi i gyd. Mae hi'n clapio, a dwi'n clapio.

'Eto, ia? Eto, Rose?'

'Eto, ia, eto. Oooo!' medda hi, yn ei llais hogan fach, a'i llygaid efo'r un sglein â wyneb y dŵr yn yr haul.

Pan mae'r bwyd yn dod i ben, a diddordeb yr hwyaid ynddon ni efo fo, dyma ddechrau taflu cerrig bach, a'r cerrig yn tyllu i mewn i'r dŵr efo'r sŵn boddhaol dwfn hwnnw. Eto ac eto. Hi gynta, wedyn fi. Eto ac eto. Y ddwy ohonan ni'n giglan fel ffrindiau penna.

Welwn ni mo Cleif yn dŵad yn ei ôl, yn llawn ymddiheuriadau fod 'na fwy yn aros yn y lle doctor nag oedd o wedi meddwl, ac…

Ac yna, mae o'n sefyll ac yn edrych arnan ni, a mymryn o sglein yn ochrau ei lygaid yntau.

*

Roedd o'n siŵr o ddigwydd. Y 'marw' ar lwyfan. Y profiad yna sy'n ddrychiolaeth mewn hunllefau, sy'n pipian rownd drws pob ystafell wisgo.

Ro'n i wedi gorfod addasu fy sioe, beth bynnag, yng ngoleuni'r chwydd cynyddol, a'r ffaith 'mod i ddim bellach yn medru cymryd rôl y ddynes ganol oed ifanc oedd yn methu cael cariad ac yn wynebu blynyddoedd digymar o edrych ar *Strictly* a chath ar ei glin a photal o fodca yn ei llaw. Doedd llawer iawn o'r llinellau ddim yn mynd i weithio. Do'n i ddim wedi dechrau wadlo eto, ond do'n i ddim yn cerdded mor osgeiddig ag y bues i, ddim yn medru codi mor chwim â chynt. Yn 'wadlo lle cynt y rhedwn.' Roedd honna'n llinell dda. Mi fydd yn rhaid i mi safio honna erbyn un o'r perfformiadau hwyrach, meddyliais ar fy ffordd i'r llwyfan y noson honno.

Ella mai hynny oedd y drwg. Doedd fy meddwl i ddim ar y perfformiad yn llwyr. Roedd gen i'r ddawn o fedru gwagio fy mhen cyn i mi fentro o flaen cynulleidfa. Yn amlwg roedd rhywun yn ymwybodol o'r stwyrian a'r anadlu torfol o'i flaen, ond roedd hynny'n rhan annatod o'r perfformiad, rywsut.

Doedd o ddim fel petawn i'n gorfod cofio rhyw linellau cysegredig o waith rhyw ddramodydd enwog, o flaen cynulleidfa oedd yn medru cydadrodd y llinellau efo fi. Fi oedd pia'r geiriau. Fasa neb ddim callach taswn i'n eu deud nhw ychydig bach yn wahanol bob nos. Ond roedd yn rhaid dal gafael ar gynffon y naratif, ar drywydd yr hanes. A cholli hynny wnes i. A gorfod codi'n drafferthus a chlywed y gymeradwyaeth lipa, llawn cydymdeimlad yn fy nilyn.

Roedd yna neges ar fy ffôn pan es i'n ôl i'r ystafell wisgo. Neges gan Cleif yn gofyn tybed, gan ei bod yn ddydd Sadwrn, tybed faswn i'n medru galw draw yno fory rhyw ben. Doedd 'na ddim creisis, o'i lais o. Ond roedd yn beth rhyfedd iddo'i ofyn. Gyrrais decst yn ôl yn cadarnhau, ac wedyn yn gynffon i'r neges, holi,

Pob dim yn ok?

Bawd i fyny oedd yr ateb ges i. Y bawd oedd yn cynrychioli pob dim, a dim yn y diwedd.

*

Roedd Sam yn aros amdana i wrth i mi ddŵad adra, yn llyffanta eto ar y stryd, fel carwr y cysgodion. Do'n i ddim eto wedi rhoi'r goriad yn ôl iddo, er mwyn iddo gael cerdded yn ôl i mewn i 'mywyd i fel tasa'r misoedd dwetha heb ddigwydd. Osgar neu beidio. A doedd yntau ddim wedi gofyn am y goriad, er ei fod yn aros draw ryw noson neu ddwy yn yr wythnos. Roedd o'n fy nabod i'n ddigon da. Yn gwybod bod yn rhaid ymatal rhag disgwyl gormod. Ond ro'n i wedi ei ffonio fo heno. Ar ôl y 'marw' Thespaidd, a hefyd ar ôl yr alwad gan Cleif.

'Tasa fo'n fater brys, 'sa fo 'di deud wrthat ti fynd draw heno, basa?'

'Basa,' atebais innau.

'Felly...'

'Dydy o'm 'di ffonio o'r blaen, ddim yn gofyn i mi fynd draw fel'na. Ddim mor benodol.'

Roedd Sam wrthi'n tylino fy nhraed, a finna efo glasiad bach o win coch fel meddyginiaeth. Do'n i ddim wedi yfed prin ddim ers i mi wybod am Osgar, ond roedd glasiad o Chianti heno'n mynd i neud mwy o les nag o ddrwg.

'Yli, wyt ti isio i mi ddŵad draw efo chdi? Fory? Atyn nhw. Rhag...'

'Rhag be? Rhag ofn be?'

Symudais fy nhraed yn ddiamynedd oddi ar ei lin, a dechrau eu rhwbio'n egnïol efo'r tywel oedd yn barod ar y soffa.

'Fy mam i ydy hi, Sam. Dim ei bod hi'n blydi callach, dwi'm yn deud ond... dwi'm isio dechra cymhlethu mwy ar betha. Iawn?'

Nodiodd, a do'n i ddim yn medru deud oedd o wedi cymryd ato ai peidio. A doedd dim blydi gwahaniaeth gen i chwaith ar y foment honno.

Es i 'ngwely yn fuan wedyn, yn gwlwm tyn, pigog o flinder. Gwrandewais am hir ar ddiasbedain y drws wrth i Sam adael y tŷ, a syrthiais i gysgu ym mreichiau tonnog y sŵn.

*

Mae Cleif wedi agor y drws erbyn i mi gyrraedd y giât sy'n agor o'r lôn a cherdded i lawr y llwybr cul at y tŷ. Edrycha arna i'n symud ato, a chonsýrn ar ei wyneb. Mae esgyrn y planhigyn o gwmpas y drws wedi mentro blodeuo.

'Ydy pob dim yn iawn, yndy, Cleif? Do's 'na'm byd wedi —'

'Ty'd i mewn, Nina bach, rhag i bobol fusnesu.'

Dwi'n sylwi ei fod wedi edrych i fyny ac i lawr y

stryd cyn cau'r drws ar y byd. Anifail yn gaeth yn ei garchar.

'Wel, wnes i'm...' meddai, ac edrych ar fy mol mewn syndod, cyn edrych i ffwrdd wedyn mewn embaras.

Dwi ddim wedi ei weld ers mis. Mis o dyfu. Mis rhwng gwybod a pheidio gwybod. Ar ôl y foment honno yn y parc, ro'n i wedi bod yn gyndyn o gysylltu. Fel taswn i isio dal yr eiliad honno yn fy meddwl am byth, heb orfod ei haddasu na'i sarnu. Ro'n i wedi meddwl tipyn amdani. Ai Rose yn chwerthin ar ymyl y llyn oedd y Rose go iawn? Ai hynna oedd ei hanfod hi? Cyn i'r byd gael gafael ynddi?

'Do'n i'm yn... Sori. Ella dylwn i fod wedi...'

Nodio mae o.

'Wel, llongyfarchiadau, ia? Dyna maen nhw'n ddeud 'te?'

'Am wn i,' meddwn innau.

Mae'r byd yr un mor ddiarth i'r ddau ohonan ni. Mae'r unig un fasa'n gwybod yn iawn sut deimlad ydy o yn eistedd draw yn fan'cw. Dwi'n teimlo dylwn i drio esbonio.

'Mae 'di bod yn anodd derbyn, Cleif. Coelio.'

Does 'run gair yn ffitio, 'run gair yn iawn. Mae o'n nodio fel tasai'n dallt, chwara teg iddo fo.

'Lle ma hi heddiw? Sut ma hi 'di bod, Cleif?'

Mae ei lygaid yn llawn cymylau, a thynna anadl ddofn cyn ateb. Pan ddaw'r geiriau, maen nhw'n drwm efo arwyddocâd, yn sigo'n anghyfforddus dan y pwysau.

'Ma'r amser 'di dŵad, Nina.'

Dwi'n deud dim am funud. Ac yna, dwi'n teimlo'n sâl.

'Ga i ista, Cleif? Sori, dwi'n teimlo braidd yn...'

Mae ymylon y byd yn duo, a 'mhen i'n teimlo fel tasa fo'm yn perthyn i mi.

'Dan ni'n mynd i'r gegin a dwi'n eistedd wrth y bwrdd, a syllu ar y bananas efo'r brychau haul drostyn nhw, ar y ffin rhwng bod yn iawn a bod yn bydredig. Rhyfedd fel mae llygad rhywun yn glanio ar bethau weithiau. Ar bethau sy'n dweud y cyfan mewn ffordd ddistaw, ddiymhongar a hardd. Blydi bananas!

Dwi'n sipian y dŵr yn ddiolchgar, ac yn teimlo'n well bron yn syth.

‘Ma’r amser wedi dŵad. Dyna ddudoch chi, Cleif.’ Mae o’n eistedd gyferbyn. ‘Yr amser i be?’

Yr unig beth sy’n symud linc-di-lonc drwy fy mhen ydy ei fod yn mynd i’w lladd hi. Rhoi taw ar bethau. Ei rhyddhau hi o’i phoen, onid hynny maen nhw’n ddeud? Mae o wedi cael digon.

‘Ma hi’n dirywio, Nina. Mi gafodd ryw dantrym mwya ofnadwy noson o’r blaen a byth ers hynny dwi’n… dwi’n ei gweld hi’n llithro’n bellach oddi wrtha i. Gobeithio ’mod i’m yn rhy hwyr.’

Y fo sy’n dweud hynny, ond mi allai’r geiriau fod wedi dŵad gen i’r un fath yn union. Gobeithio ’mod i ddim yn rhy hwyr.

‘Dwi isio i ti ga’l gwbod. Gweld ei lun o. Dy dad.’

Sŵn car yn tagu mynd tu allan. Grwndi’r ffrij. ‘Dy dad.’

‘Dwi ddim yn ei nabod o, sti. Faswn i byth yn gwybod pwy…’

Blynyddoedd o beidio gofyn. Ac wedyn, blynyddoedd o beidio bod isio gofyn.

‘Mae ’na focs gynni hi. Dan ei gwely hi. Dwi ’rioed wedi cael…’

Mae'r teimlad o frad yn ei lais o'n dew; bron na faswn i'n medru ei gyffwrdd, a thaenu fy mysedd drosto fo, yn lwmpyn mawr caled.

'Ond ma'r amser 'di dŵad, Nina. Ella'i fod o wedi pasio. Ond os na wnawn ni rŵan, cyn iddi lithro'n bellach, ac o'n cyrraedd ni'n llwyr… ma'n iawn i chdi gael gwbod, Nina. Ma'n iawn i ni drio.'

*

Eistedd yn y gadair wrth y ffenest mae hi, ond mae'r cyrtens wedi cau yn erbyn yr haul llachar. Tydy hi ddim i weld yn edrych drwy'r ffenest fel oedd hi, ond yn edrych i lawr ar ei glin, ei dwylo yn brysur yn didoli, yn symud a chymoni'r blanced fach lachar mae Cleif wedi ei thaenu dros ei choesau. Mae'r Teletubbies yn foliog liwgar ar y sgrin, a'r gerddoriaeth yn feddal ac yn annwyl. Ond tydy hi'n cymryd dim sylw.

Tydy o ddim yn focs mawr, nac yn un crand, er ei fod yn amlwg cyn hyned â fi, a'r enw 'Polly Anna Stores' wedi cael ei argraffu mewn caligraffi cyrliog ar draws yr ochr.

'Helô, Rose. Sut dach chi heddiw?' meddwn i, mewn llais cynnes, saff.

Mae hi'n codi ei phen ac yn rhyw hanner gwenu, ei llygaid yn fwy cymylog na dwi wedi eu gweld nhw, fel tasai hi ddim yn fy ngweld i'n iawn. Ella'n bod ni'n rhy hwyr.

'Sbïwch be sgen i'n fan'ma, Rose.'

Mae Cleif yn cadw'i bellter, chwarae teg iddo, ond yn loetran ym mhen draw'r stafell, rhag ofn i bethau fynd yn flêr. Rhag ofn iddi nabod y bocs a gwybod ei fod wedi bod yn busnesu dan ei hochr hi o'r gwely, a thynnu'r bocs i'r lan. Dinoethi'r cynnwys.

Ond does dim rhaid iddo boeni. Tydy hi ddim yn ymateb rhyw lawer. Yn gwneud siâp 'o' am funud, yn ymateb i'r cynnwrf yn fy llais i, yn adleisio ond hwyrach ddim yn llawn ddeall. Ella nad ydy hynny'n arwydd da. Os nad ydy hi'n ymateb i bresenoldeb y bocs, ella fydd hi ddim yn ymateb i gynnwys y bocs. Beth bynnag ydy hwnnw.

Mae 'na ruban pinc dros y caead, un mwy ymarferol na phrydferth, un sydd wedi cael ei roi yno rhag i gaead y bocs neidio i fyny a gwneud iddo agor ei geg.

Dwn i ddim pam, ond dwi'n gafael yn ei dwylo ac yn eu rhwbio'n ysgafn, ysgafn, yn ôl ac ymlaen, yn mwytho'r ansicrwydd i ffwrdd. Mae hi'n gwenu arna i, yn sbio uwchben y bocs, ac yn gwenu arna i.

Mae hynny'n ddigon o hwb i mi afael yn y rhuban efo'r llaw arall a'i dynnu'n ara bach. Mae o'n ildio'n hawdd. Tydy hwn ddim wedi dal ei gwlwm am ddeugain mlynedd – mae hi wedi bod yn hwn yn aml.

'Be sgynnon ni'n fan'ma, Rose? Be sgynnon ni?'

'Be sgynnon ni?' meddai hithau, a gwenu ei gwên hogan bach arna i.

Dwi ddim yn disgwyl eu gweld nhw, yn eistedd ar y top, fel ceirios ar deisen. Y *bootees* bach pinc wedi eu gwau, a rhuban o'r un lliw â'r rhuban ar y bocs yn rhedeg drwyddyn nhw yn y top. Dwi'n gafael ynddyn nhw yn ofalus. Maen nhw'n ysgafn fel deryn, yn gynnes ac yn oer yr un pryd, yn boenus o gywrain.

'Oooo!'

Ac mae hi wedi estyn amdanyn nhw cyn i mi

wybod, ac wedi eu codi at ei boch a'u hogleuo, eu dal nhw ati fel tasa hynny'r peth mwya naturiol yn y byd.

Dwi'n sbio draw ar Cleif, ond mae o wedi mynd. Dwi'n gweld ei gefn o'n diflannu allan o'r drws i'r gegin, ei sgwyddau'n crymu.

Mae'r lluniau blith draphlith o dan y *bootees* yn y bocs. Dwi'n dechrau chwalu drwyddyn nhw, yn araf ofalus. Wrth gwrs, dwi'n ei nabod hi'n syth. Tydy osgo rhywun byth yn newid, y ffordd mae rhywun yn dal ei ben i'r haul, y ffordd mae rhywun yn codi ei lygaid i edrych ar y byd. Yn gwenu. Ac mae hi'n debyg i mi, yn ofnadwy o debyg.

Mae yna un llun arbennig ohoni, yn gafael am ryw ddyn. Mae ei grys o ar agor, a'i wallt yn fyr, fyr, a sigarét yn hongian o gornel ei wefus. Mae ei fraich amdani mewn ffordd ymlaciol braf, yn hyderus yn ei berthynas efo hi. Mae un o'i dwylo hi ar ei fraich o. Unwaith mae'r llun wedi ei dynnu, a'r person camera wedi mynd, dach chi'n cael yr argraff bod y llaw yn mynd i grwydro, i fonllefau o chwerthin.

Dwi'n codi'r llun, a mynd â fo yn nes ati hi. Mae hi'n gollwng y *bootees* ac yn estyn am y llun, yn dod â fo yn agos agos ati hi, er mwyn craffu arno. Ac yna mae hi'n ymestyn ei gwefusau i wneud siâp sws gomig tsimpansî-mewn-hysbyseb, yn ymestyn ei gwefusau tuag ato.

'Pwy ydy o, Rose? Pwy ydy hwn?'

Mae hi'n gwenu arna i. Ond yn dweud yr un gair. Does dim rhaid iddi. Dwi'n nabod y dyn yn iawn. Fo wnaeth fy magu. Dad ydy o.

*

Mae Cleif yn aros amdana i yn y gegin gefn, ac yn syllu ar y ffenest heb edrych drwyddi, dwi'n siŵr.

Er bod y pilipala yn dal ar y celfi, mae eu hymylon wedi dechrau crino yng ngwres y gegin, ac ambell un wedi syrthio i ffwrdd. Does mo'r ots bellach. Tydy hi byth yn mynd i ddŵad i'r gegin i estyn glasiad o lefrith iddi hi ei hun erbyn hyn, na chwilio am lwy mewn drôr.

'Cysgu ma hi rŵan.'

Nodia yntau. 'Ma hi'n cysgu ar ddim 'di mynd.'

'Yndy.'

Mae o'n trio peidio astudio gormod ar fy wyneb, ond fedar o ddim peidio gofyn yn y diwedd.

'Gest ti rywfaint o sens… o oleuni, Nina?'

Dwi ddim yn ei ateb, ond yn mynd ato a rhoi fy mreichiau amdano. Tydy o ddim yn barod am y goflaid, ac mae'n araf i ymateb. Ond ildio mae o'n y diwedd, a 'dan ni'n aros fel'na am rai eiliadau cyn torri'n rhydd o'n gilydd.

'O'n i'n ama ella'n bod ni'n rhy hwyr, sti. Sori, Nina fach. Dylwn i 'di deud yn gynt, yn lle…'

'Diolch dwi isio neud, Cleif. Diolch i chi.'

'Felly gest ti…?'

Fy nhro i ydy nodio 'mhen rŵan. Do, fe ddaeth yr ateb. Rhan ohono, ella. Ddim y stori i gyd. Cha i fyth mo'r stori i gyd rŵan. Ond rywsut tydy hynny ddim yn bwysig. Dwi wedi byw ym myd di-liw ansicrwydd ers cymaint o amser erbyn hyn. Fel gwylio teledu efo signal gwael. Dwi 'di derbyn y llun aneglur fel y mae. Pa werth cael mwy o liw ar y darlun a finna'n gweld yn gliriach nag erioed? Ac yn gwybod yn iawn rŵan pwy ydy nain a thaid y babi bach yma sy'n fwrlwm byw y tu mewn i mi.

*

'Affêr,' datgana Sam gydag awdurdod.

Mae o'n eistedd a dwi'n gorwedd ar y soffa, fy nhraed yn ymestyn dros ei gluniau.

'No shit, Sherlock!'

Mae'r ddau ohonan ni'n chwerthin. Be arall wneith rhywun weithia? Does 'na ddim ymateb arall sy'n gwneud y tro ambell waith, pan mae'r atebion i gyd yn cuddio.

Sut? Lle? Pryd? Pam? Tydy'r atebion rheiny ddim yn bwysig rŵan.

Dwi'n meddwl am Mam pan o'n i'n tyfu i fyny, mor ofalus ohona i. Ei chorff bach eiddil a'i hesgyrn brau, yn welw o hyd fel tasa pelydrau'r haul wedi methu ei chyffwrdd. A Dad. Yn llenwi stafell efo'i chwerthin. Y llygaid cellweirus, y pant bach yn ei ên. Dwi'n cyffwrdd y pant bach yn fy ngên innau, fel taswn i eisiau gwneud yn siŵr ei fod o'n dal yno! Dad yn cellwair bod y ddau ohonan ni'n ddwy dorth wedi cael eu gwneud yn yr un popty.

Dad. Yn cael magu ei hogan fach o ar ei aelwyd, a Mam yn ddigon eangfrydig i ganiatáu i hynny ddigwydd. Os oedd 'na well diffiniad o gariad, 'swn i'n licio'i glywed o.

*

Cefais fy neffro ganol nos y noson honno gan sŵn buwch yn brefu o bell. Brefu cyson, rhythmig oedd o, fel petai'n galw am ei llo. Rhwng cwsg ac effro fel'na, ro'n i'n ôl yn byw yng nghanol y wlad, ac yn ôl yn fy stafell wely papur wal clown, a phosteri George Michael yn edrych yn sgleiniog i lawr arna i ddydd a nos.

Dim ond wedyn wnes i sylweddoli mai sŵn rhythm fy nghalon fy hun oedd yn llenwi fy nghlustiau, y sŵn cyson, dibynadwy oedd yn pwmpio gwaed i mewn i 'ngwythiennau. I mewn i 'nghroth.

Estynnais fy mraich draw wedyn, a chanfod

cynhesrwydd Sam yn fynydd braf. Stwyriodd yntau, a mwmian rhywbeth yn ei gwsg.

‘’Dan ni’n caru chdi, Sam. Osgar a fi,’ sibrydais wrth y gwyll.

Roedd o wedi diflannu’n rhy ddyfn yn ôl i’w drwmgwsg i ateb.

‘Caru chdi,’ meddwn eto, wrth y stafell, wrtho fo. A theimlais y bychan yn stwyrian ateb y tu mewn i mi, yn symud yn fy mol yn donnau o fywyd.

Syrthiais yn ôl i gysgu, a’r ‘fuwch’ yn brefu’n braf yn fy nghlustiau.

RHUDDEM

Lliw dwfn a dewr, mae pwyslais ar alaw lleisiau a wynebau.

Er bod y sgiliau motor yn edwino, mae mwynhad mewn rhythm.

NINA

Mae'r cartref yn edrych fel tŷ ynghanol stad o dai ar yr olwg gynta, er bod yna ddreif ychydig yn hirach yn mynd ato, a mwy o le i barcio ceir.

Clên iawn ydy'r aelod o staff sy'n agor y drws i mi ar ôl i mi ganu'r gloch. Beth bynnag mae hi wedi bod yn ei wneud ddiwetha, beth bynnag sy'n ei disgwyl, mae ei gwên yn barod, yn ddiffuant.

'Nina Jones,' meddwn i. 'Dwi 'di dŵad i weld Rosemari Bowen?'

'O, ia. Ffor'ma ma Rose. Newydd gael ei chinio mae hi. A chi ydy… ei merch hi, ia?'

Mor naturiol, mor ddiffwdan.

'Ia.'

'Ma'ch tad 'di bod efo hi ers rhyw awran.'

Dwi ddim yn ei chywiro.

Wrth gwrs bod Cleif yno'n barod, ac yn cerdded i lawr y coridor atan ni wrth glywed fy llais. Fedra i ddim peidio sylwi ei fod yn edrych yn well, a'i ddillad yn fwy destlus. Rhoi amser iddo fo ddŵad ato'i hun ydy prif bwrpas hyn, wedi'r cyfan. A mater o raid ydy ei fod o angen help erbyn hyn. Mae o ar ei liniau, wedi bod yn effro ddydd a nos yn ei thendiad hi. Tydy amser ddim yn dal yr un awdurdod dros ddementia. Ac mae ei hanghenion hithau'n dwysáu.

'Ro i amser i chi'ch dwy efo'ch gilydd,' meddai'r nyrs, gan wasgu fy llaw i. Ond tydi hi ddim yn mynd yn bell.

Mae ei chefn hi ata i yn y gadair, ond dwi'n nabod ei gwallt gwinau yn syth yng nghanol y penwynion eraill. Mae'r preswylwyr yn codi eu pennau ac yn gwenu arna i, rhag ofn 'mod i wedi dŵad i'w gweld nhw. Ond pylu mae eu diddordeb pan dwi'n setlo wrth ymyl Rose.

Mae ei phen ar ei mynwes, ac mae hi'n pendwmpian. Wedi cilio'n ôl o fyd swnllyd sy'n gwneud dim synnwyr.

'Tydy hi'm yn cysgu, chi. Rose? Rose? Sbïwch rŵan, ma Nina yma!'

Mae hi'n gwybod pa mor bwysig ydy hyn i mi, chwara teg iddi.

Ac ydy! Mae Rose yno, ac yn codi ei phen a gwenu am funud, yn ddiolchgar, yn dawnsio ar ddibyn nabod a deall am eiliad. Mae hi'n mwmian rhywbeth, yn trio cyfathrebu, ond does dim modd ei deall. Ac yna mae ei gên a'i phen yn syrthio'n ôl i lawr ar ei mynwes siwmper streips.

Dwi'n gafael yn ei chrafanc feddal o law ac yn dechrau anwesu, yn ôl a blaen, yn rhythm braf. Mae ei chroen yn rhyfeddol o lyfn. Ac ydy, mae hi yno, yn codi ei phen a gwenu, a fflach o rywbeth yn ei llygaid.

'Faint sgynnoch chi i fynd?' gofynna'r aelod o staff, gan osod cyrlen goch y tu ôl i glust Rose yn gariadus, cyn clirio'r plât sydd o'i blaen, a'r deisen heb ei chyffwrdd, y cwstard wedi dechrau ceulo arni.

'Ym... sori?' Dwi ddim yn barod am y cwestiwn ac yn meddwl am eiliad mai siarad efo Rose mae hi. Mae o'n gwestiwn dw inna'n mynnu'i ofyn wrth edrych arni. 'Faint, Rose bach? Faint sgin ti i fynd?'

'Y babi, 'de!' meddai'r ferch wedyn, dan chwerthin. 'Faint sgynnoch chi rŵan?'

'Ym... mis. Ia, mis.'

'Ooo, lyfli, 'de! Exciting! Bywyd newydd!' meddai wedyn, ac edrych i lawr ar y pen gwallt coch sydd wedi plygu drachefn, fel pen blodyn ar derfyn dydd.

PERL

Y tu allan i arwedd y gragen ddiolwg, mae hi yno o hyd, yn berl, yn loyw, yn berffaith.

Yn enaid.

NINA

Mae hi'n oer yma, ac mae Rosina fach yn cau ei llygaid yn erbyn y gwynt ddaw ar garlam o'r môr. Mae mymryn o'i gwallt coch i'w weld dan ei chap gwlân, ac mae hi'n gafael yn dynn yn fy nghôt efo un llaw, a'r llaw arall yn seren fôr ar fy mrest.

Dydy o'm yn lle i fagu gwaed. Wnawn ni ddim aros yn hir.

Wrth gerdded allan i gyfarfod y tonnau, mae'r tywod dan draed yn sgleiniog, ac ambell i glwstwr meddal melyn o ewyn yn aros. Dwi'n estyn i'r bag lliain efo llaw rydd ac yn estyn y rhosyn allan, gan osgoi'r pigau. Mae o'n edrych allan o le rywsut ar y draethell fach anial yma. Mae'r gwynt yn ei ysgwyd yn greulon. Mwya sydyn dwi'n teimlo rhyw embaras, rhyw deimlad 'mod i'n gwneud rhywbeth gwirion. Deimlodd hi hynny? Deimlodd hi fel hyn pan oedd hi'n dŵad yma bob blwyddyn efo'i rhosyn hithau ar fy mhen-blwydd? Ai dyna pam roedd hi'n mynnu ei bod yn dŵad ei hun, heb Cleif?

Mae'r fechan yn rhyw stwyrian wrth i'r gwynt

hyrddio yn ffyrnicach, a dŵad â thywod yn ei sgil.

Rŵan ydy'r amser.

'Diolch, Rose.'

Dwi'n oedi ennyd ar ôl deud y geiria, ac yna'n taflu'r rhosyn cyn belled ag y medra i allan i'r môr. Mae'r gwynt yn ei gario i'r chwith i ddechrau, ac yna mae o'n glanio ar wyneb y tonnau, yn ffeindio ei gartra newydd.

Mae bochau'r fechan yn goch gan oerni'r gwynt. Dwi'n troi fy nghefn ar y tonnau ac yn symud i ffwrdd.

'Ty'd, Rosina fach, awn ni adra, ia, caru? Adra at Dad.'

Mae hi'n ymateb, yn mwmian mewn ymateb i'w mam. 'Dan ni'n cerdded yn ein blaenau at y car.

Hefyd gan yr awdur

£8.99

MARED LEWIS

Rhwng dau fyd

'Stori deimladwy sy'n pontio'r degawdau a'r cenedlaethau, gan groesi rhwng dwy wlad a dau fyd.'

LLEUCU ROBERTS

y Lolfa

£8.95